SÃO PAULO
ATRAÇÕES

Avenida São Luís
A lenta recuperação do centro velho de São Paulo está insuflando vida nova naquela que, no seu auge, equivalia à Quinta Avenida de Nova York.

Edifício Itália
Considerado o edifício mais alto da América Latina, este é um ótimo lugar para tomar um drinque ao pôr-do-sol e contemplar a imensidão da cidade no bar Terraço.
Pág. 64

Edifício Copan
Houve época em que este edifício de Oscar Niemeyer andava meio deteriorado e mal freqüentado. Quando a área melhorou, o preço dos 1.600 apartamentos subiu.
Pág. 10

Parque do Ibirapuera
Esta foi uma solução modernista de Niemeyer e Roberto Burle Marx para um parque público de São Paulo. Venha apreciar as marquises e a arquitetura, e fique para ver os paulistanos aproveitarem a vida ao ar livre.
Pág. 78

Antigo Hotel Hilton
O último hóspede fechou a conta há muito tempo, mas o belo prédio continua sendo uma parte notável da silhueta do centro.
Avenida Ipiranga 165

Museu de Arte de São Paulo (Masp)
A caixa de arte de Lina Bo Bardi se destaca entre os arranha-céus da Avenida Paulista. O Masp possui a melhor coleção de arte européia da América do Sul.
Pág. 76

Jardins
Com edificações não muito altas e bem caras, os bairros Jardim Paulista, Jardim América e Jardim Europa dispõem dos melhores restaurantes, lojas e hotéis da cidade.

INTRODUÇÃO
RETRATOS DA CENA URBANA

Enquanto o Rio sempre teve praias, escolas de samba e turistas, São Paulo conservou uma imagem antiquada, como se fosse uma grande extensão urbana à la Blade Runner, tomada pela alienação e pelo perigo. De fato, para quem a conhece, a maior cidade da América do Sul sempre teve a energia, a sofisticação e o impulso modernista que a tornaram um destino obrigatório para viajantes mais aventureiros. Agora, graças a novos hotéis de vanguarda e à explosão da cena noturna, está ficando mais fácil descobrir seu charme. Acrescente-se a isso sua importância cada vez maior no mundo da moda e como centro de uma gastronomia fabulosa e tem-se um destino extremamente interessante.

É difícil evitar freqüentes comparações com Nova York, por causa da grande aglutinação de arranha-céus, da incrível mistura de imigrantes, das notáveis disparidades de riqueza e dos malucos de patins que andam pelo Parque do Ibirapuera, que, projetado por Oscar Niemeyer e Roberto Burle Marx, foi considerado um Central Park melhorado. Os paulistanos declaram com orgulho: "A cidade não é bonita, mas Nova York também não é". Mas a comparação cai por terra num quesito fundamental: em São Paulo, encontra-se uma cidade tão livre das hordas de turistas que os moradores são muito simpáticos e ajudam o visitante. Na realidade, até mesmo os mais indiferentes e as celebridades podem ficar extremamente tocados pelo fato de um estrangeiro ter tido sangue frio para visitar sua cidade. Mas isso não vai durar muito; por isso, vá logo.

INFORMAÇÕES ESSENCIAIS
NÚMEROS E ENDEREÇOS ÚTEIS

INFORMAÇÕES TURÍSTICAS
São Paulo Convention & Visitors Bureau
Alameda Ribeirão Preto, 130
tel 3289 7588
www.visitesaopaulo.com

TRANSPORTE
Aluguel de carro
Avis
tel 6445 4294
Metrô
tel 3371 7411
www.metro.sp.gov.br
Helicóptero
BHS Helicópteros
tel 11 2189 0050
www.bhs-helicopteros.com.br
Táxi
Rádio Táxi
tel 3146 4000

EMERGÊNCIAS
Ambulância
tel 193
Bombeiros
tel 192
Polícia
tel 190
Farmácia 24 horas
Drogaria São Paulo
Praça Júlio Mesquita, 131
tel 3331 5273

DINHEIRO
American Express
Rua Haddock Lobo, 400
tel 4004 7797
travel.americanexpress.com

SERVIÇOS POSTAIS
Correio
Rua Haddock Lobo, 566
tel 3083 2879
Envio expresso
DHL
Rua da Consolação, 2721
tel 3618 3200

LIVROS
Futebol: o Brasil em Campo, de Alex Bellos (Zahar)
Moderno e Brasileiro, de Lauro Cavalcanti (Zahar)
B.J. Duarte: Caçador de Imagens, de Rubens Fernandes Junior e outros (Cosac Naify)

SITES
Arquitetura
www.vitruvius.com.br
Arte
bienalsaopaulo.globo.com
Jornais
www.folha.com.br

ALGUNS PREÇOS
Táxi do Aeroporto de Guarulhos até os Jardins
R$75 = US$45
Cappuccino
R$3 = US$1,80
Maço de cigarros
R$3 = US$1,80
Jornal
R$2,50 = US$1,50
Garrafa de champanhe
R$100 = US$60
(cotações de 29/1/2008)

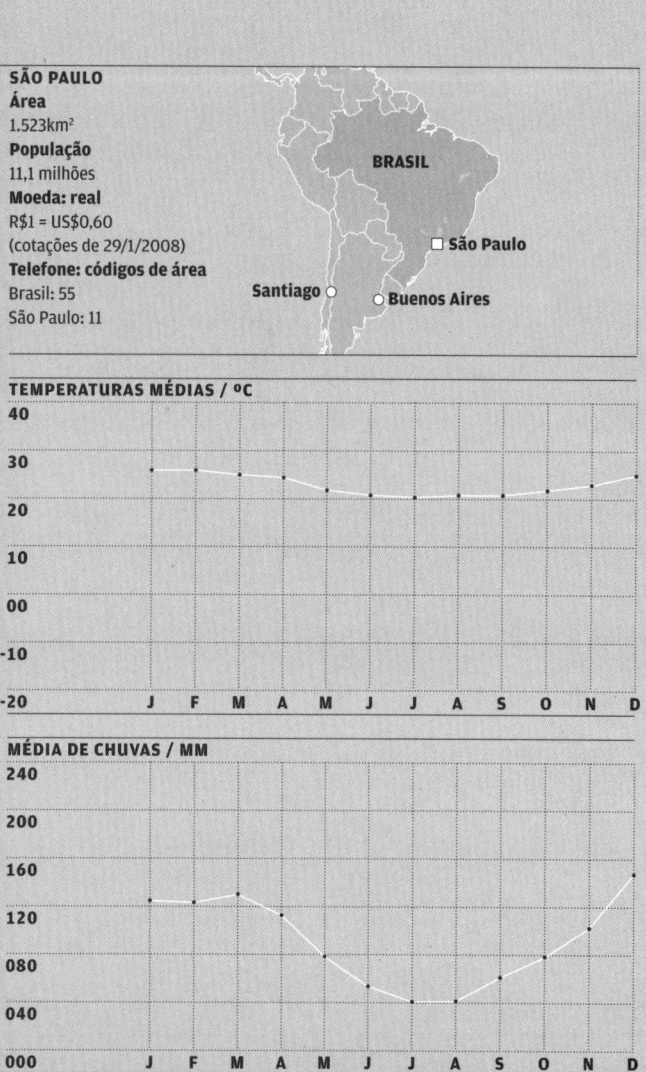

SÃO PAULO
Área
1.523km²
População
11,1 milhões
Moeda: real
R$1 = US$0,60
(cotações de 29/1/2008)
Telefone: códigos de área
Brasil: 55
São Paulo: 11

TEMPERATURAS MÉDIAS / ºC

MÉDIA DE CHUVAS / MM

BAIRROS
AS REGIÕES QUE VOCÊ PRECISA CONHECER E POR QUÊ

Para facilitar a circulação pela cidade, escolhemos os bairros mais interessantes (ver o mapa no final do guia) e destacamos as atrações com cores, segundo a localização (ver abaixo). Os locais que ficam fora dessas áreas estão em cinza no mapa.

JARDINS
O espigão da Avenida Paulista marca a ponta sul do centro de São Paulo, por onde se desce aos elegantes bairros dos Jardins – Jardim Paulista, Jardim América, Jardim Europa –, que formam uma área de edificações baixas e alguns prédios com moradias de alto nível e lojas caríssimas, rodeada por muitos quarteirões de edifícios. O Jardim Paulista é a melhor região para adquirir roupas de grife e observar celebridades.

CENTRO
O centro velho de São Paulo não deve ser visitado à noite. De dia, a região é um alvoroço. Comparado aos Jardins, tem aparência decadente, mas revela uma energia de cidade grande, o que faz muita gente comparar São Paulo a Nova York. Aqui também há um fantástico trecho de marcos modernistas perto da Praça da República, com o Edifício Itália (Avenida Ipiranga, 344), o Edifício Copan, de Oscar Niemeyer (pág. 10) e o antigo Hotel Hilton, um edifício circular (Avenida Ipiranga, 165).

ITAIM BIBI
No lado sul da glamourosa Avenida Brigadeiro Faria Lima, este bairro comercial e residencial passou a concentrar casas noturnas de alto nível, em especial ao redor da Rua Amauri e da Rua Dr. Mário Ferraz. Entre as atrações destacam-se o Azúcar, com temática cubana (Rua Dr. Mário Ferraz, 473, tel 3078 3130), e a Forneria San Paolo, com projeto de Isay Weinfeld (pág. 52).

VILA MADALENA
Bairro criativo, cheio de galerias, bares, restaurantes e lojas com peças exclusivas. Um lugar típico é a Casa Palomino (Rua Mourato Coelho, 790, tel 3813 0414), que tem galeria e bar, recebe eventos e publica uma revista de moda. Garimpe roupas *vintage* ao longo da Rua Fidalga, e vá contemplar uma exposição na inovadora Galeria Fortes Vilaça (Rua Fradique Coutinho, 1.500, tel 3032 7066).

HIGIENÓPOLIS
Com nome que significa "cidade da higiene", o bairro foi construído acima do centro velho já deteriorado no fim do século 19, de modo a oferecer um local privilegiado aos ricos. Higienópolis contém uma bela coleção de prédios de apartamentos com destaques arquitetônicos – Edifício Louveira, de Vilanova Artigas (pág. 70), o exagerado Edifício Bretagne, de João Artacho Jurado, da década de 1950 (pág. 68), e o Edifício Prudência (na Avenida Higienópolis), de Rino Levi e Cerqueira César.

PINHEIROS
Este bairro é outra área mista, cheio de diversões. Aqui ficam o Jun Sakamoto (pág. 38), um dos melhores restaurantes japoneses da cidade, e o sofisticado bar Astor (Rua Delfina, 163, tel 3815 1364). Em Pinheiros também está o Consulado Mineiro, na bonita Praça Benedito Calixto. Este é o melhor lugar para saborear uma gostosa feijoada, no almoço de sábado, e pratos tradicionais de Minas Gerais.

MARCOS DA CIDADE
OS MELHORES PONTOS DE REFERÊNCIA

Os números que descrevem São Paulo são impressionantes. Mais de 11 milhões de pessoas vivem na cidade, e na Região Metropolitana de São Paulo se amontoam 19 milhões de moradores. Geógrafos que enxergam mais longe acrescentam as metrópoles adjacentes, como a Baixada Santista, São José dos Campos, Campinas e Sorocaba, o que resulta no chamado Complexo Metropolitano Estendido, com quase 29 milhões de habitantes. Entre as cidades mais populosas, São Paulo só perde para Tóquio, e tem 10 milhões de habitantes mais que toda a população da Austrália. Esse pessoal de sorte vive num lugar três vezes maior que Paris (e continua a crescer), por isso é comum o visitante se sentir assustado, às vezes aterrorizado, com a cidade. Isto é, até que decide ignorar a imensa maioria que tem pouco a lhe oferecer.

Concentre-se no Centro e nos bairros vizinhos: Liberdade, o bairro japonês, e Higienópolis, com seus projetos arquitetônicos originais. O restante da cidade que você gostará de conhecer estende-se para sudoeste e compreende os bairros em que circula muito dinheiro: Jardins, Vila Madalena, Pinheiros, Itaim Bibi e o entorno do Parque do Ibirapuera (pág. 78). Esses são os lugares que se orgulham de restaurantes, lojas, arquitetura e bares que fizeram de São Paulo uma cidade que vale a pena conhecer. Peça a seu hotel que lhe indique um taxista de confiança e descobrirá que há pouco o que temer, exceto o trânsito – programe-se para chegar a tempo nos encontros marcados.

Veja os endereços em Informações.

Edifício Copan
O Copan de Oscar Niemeyer representa coisas diferentes de acordo com quem vê. Reduzido ao mais simples, é uma obra curvilínea de concreto livre com brise-soleil; para outros, um monumento do alto modernismo e de um Brasil que contava com a modernização e industrialização para lançá-lo ao Primeiro Mundo. Concluído com dez anos de atraso, o prédio seria um complexo multi-utilitário de lojas, hotel e cinema. Virou um conjunto de 1.160 apartamentos para várias faixas de renda.
Avenida Ipiranga, 200

011

MARCOS

Pinacoteca do Estado

Em termos mundiais, esta instituição é um exemplo de como fazer corretamente uma reforma. A edificação original, o Liceu de Artes e Ofícios, ou Escola de Arte de São Paulo, foi criada em estilo neoclássico italiano por Ramos de Azevedo no fim do século 19. Paulo Mendes da Rocha, ganhador do Prêmio Pritzker, deixou o exterior praticamente inalterado em sua reforma de 1993, mas criou pátios com iluminação natural pelo teto. Ele também retirou diversas paredes internas, de modo a ganhar espaço para exposições, conectadas por passarelas elevadas. Em 2000, o projeto de Mendes da Rocha lhe valeu o Prêmio Mies van der Rohe de Arquitetura. O acervo da Pinacoteca se concentra em arte brasileira dos últimos duzentos anos.
Praça da Luz, 2, tel 3229 984
www.pinacoteca.sp.gov.br

Avenida Paulista

Esta avenida percorre o espigão que separa o Centro, ao norte, e os Jardins, a sudoeste. Foi aqui, ao longo desta avenida em estilo europeu, arborizada com magnólias e plátanos, que, no fim do século 19, os barões do café de São Paulo construíram mansões grandiosas em meio a amplos jardins. São Paulo nunca teve um movimento que preservasse suas tradições. No fim da década de 1960, as mansões foram sendo demolidas e substituídas por altos prédios de escritórios para bancos e outras empresas importantes. Poucos edifícios têm arquitetura de destaque, à exceção do Masp (pág. 76). A linha de arranha-céus no topo da colina pode ser vista de muitos pontos da cidade e oferece uma referência útil. Como este é um dos núcleos financeiros de São Paulo, quem viaja a negócios tem motivos para se hospedar por aqui, mas a área também conta com diversas lojas de rua, *shopping centers*, livrarias, cinemas e restaurantes.

HOTÉIS
ONDE FICAR E OS QUARTOS MAIS INDICADOS

Tradicionalmente, São Paulo não é um destino turístico muito procurado, e, por volta de 2002, seu desgastado mercado hoteleiro refletia isso muito bem. O andar executivo do Renaissance (pág. 22) é o que há de melhor, e a vista, no ponto mais alto da cidade, é uma das mais privilegiadas. O Maksoud Plaza (pág. 25) sempre ofereceu algo um pouco diferente, se bem que agora está defasado. Mas veio o Emiliano (pág. 26), de Arthur de Mattos Casas, de *design* extremamente sofisticado, logo seguido pelo homônimo da família Fasano, que migrou do negócio de restaurantes para o de hotéis de alta qualidade (pág. ao lado). O bizarro Hotel Unique (pág. 29), de Ruy Ohtake, apelidado de "melancia" por motivos óbvios, juntou-se aos demais com um toque de teatralidade e ímpeto tecnológico, que as pessoas adoram ou detestam.

As grandes redes também trataram de se modernizar. Para quem viaja a negócios, o Hilton se mudou do Centro para o Morumbi (pág. 28), enquanto o novíssimo Grand Hyatt (pág. 20) atende às preferências corporativas de praxe na área Morumbi/Pinheiros. Os dois hotéis estão muito mais próximos da região financeira ao redor da Avenida Brigadeiro Faria Lima do que a Avenida Paulista ou o Centro. Encontram-se acomodações bem projetadas e mais econômicas no Normandie Design Hotel (Avenida Ipiranga, 1187, tel 3311 9855), no Centro, e no Pergamon (Rua Frei Caneca, 80, tel 3120 2021).

Veja os endereços em Informações.

Fasano
Um dos melhores hotéis da América Latina e um dos melhores lugares do mundo onde se hospedar, a elegante torre de Márcio Kogan e Isay Weinfeld é tão deliciosa quanto chocolate quente, mas com um "tempero" de cachaça. Os móveis exclusivos espalhados pelo *lobby* e pelo bar de *jazz* Baretto (pág. 55) combinam bem com as paredes de tijolo e madeira. Os quartos comuns são enormes; os quartos de luxo, ainda mais (páginas seguintes). Todos os hóspedes têm acesso a mordomos; por isso, ponha na mala roupas íntimas que impressionem, e os funcionários lembram sempre o seu nome. A família Fasano é dona de alguns dos melhores restaurantes da cidade (pág. 48), cujas reservas são mais fáceis para os hóspedes do hotel.
Rua Vittorio Fasano, 88, tel 3896 4077
www.fasano.com.br

Apartamento de luxo, Fasano

Grand Hyatt

Pouco tempo atrás, quase não havia motivo para alguém visitar a região Morumbi/Pinheiros, na zona sudoeste da cidade. Mas esses bairros se tornaram corporativos muito depressa, o que fez grandes redes erguerem hotéis numa zona em que o trânsito de São Paulo não perturba muito. Para quem tem como prioridade ir e voltar para os escritórios próximos, o Grand Hyatt é a melhor opção. Os apartamentos Grand Queen e King (acima) se equivalem, e o *lobby* (à esquerda), o bar e o *lounge* oferecem mais do que outros grandes hotéis de negócios. O hotel conta com alguns toques especiais: uma parede coberta com 2.500 garrafas de vinho, sofás cor-de-rosa nas áreas comuns e tratamentos para reduzir o *jetlag*, entre outras coisas, no Amanary Spa.
Avenida das Nações Unidas, 13301, tel 6838 1234, www.saopaulo.grand.hyatt.com

Renaissance
Este hotel, com atividades revigorantes no andar executivo e nas suítes suntuosas, como a Presidencial (ao lado), já foi o mais luxuoso de todos, embora, atualmente, lute para figurar entre os cinco melhores hotéis da cidade. Mas quem gosta de ficar no conforto de uma estrutura familiar adora o Renaissance. E mais: a recepcionista Maria José Santos é uma graça.
Alameda Santos, 2233, tel 3069 2233
www.marriott.com

L'Hotel São Paulo
Este ótimo hotel-butique trocou o *design* contemporâneo por um toque mais rococó – de tapeçarias, cômodas Luís XVI, cadeiras Regência e tapetes persas –, como se vê no *lobby* (acima). Com apenas 73 quartos espalhados pelos seus quinze andares, contrasta com os muitos hotéis altíssimos da cidade. Supostamente inspirado em seu homônimo de Paris, L'Hotel atrai velhos clientes internacionais e paulistas ricos, para o quais as roupas de cama espanholas e os banheiros de mármore italiano têm um apelo especial. O serviço é atencioso, tanto no estilo brasileiro quanto no internacional. Localizado perto da Avenida Paulista, fica a alguns quarteirões do Masp (pág. 76), que dispõe do tipo de arte européia antiga que se imagina agradar ao hóspede de L'Hotel.
Alameda Campinas, 266, tel 2183 0525
www.lhotel.com.br

Maksoud Plaza

Não faz muito tempo, o Maksoud era o único hotel de alto nível de São Paulo. A Suíte Presidencial hospedou Mick Jagger e Frank Sinatra, que também cantou no hotel. Apesar das grandes mudanças, muitos se perguntam por que, dada a proximidade da Avenida Paulista, ele não foi reformado para abrigar um *shopping center* ou um complexo de escritórios. Ele era grande e presunçoso, e seus funcionários tinham fama de ser meio arrogantes. Mas agora, dada a competição, o Maksoud dispõe de um pálido glamour *kitsch*. O átrio, com altura de 22 andares (acima), tem fontes, jardins suspensos, esculturas, galeria de lojas, restaurantes, bares e quatro elevadores panorâmicos, e lembra mais a década de 1970 do que os macacões de Yves Saint Laurent. Ele, sozinho, vale uma visita.
Alameda Campinas, 150, tel 3145 8000
www.maksoud.com.br

Emiliano

Primeiro hotel de altíssimo luxo de São Paulo, com projeto de Arthur de Mattos Casas, é leve, claro e elegante, e tem um espírito mais jovem que o Fasano (pág. 17). As cadeiras "Azuis" dos irmãos Campana no bar do *lobby* estão aqui mais pelo *design* arrojado do que pelo conforto. As suítes possuem poltronas Eames, e as pias dos banheiros são de mármore de Carrara. Nos quartos de luxo (acima), os impressionantes sistemas de som e vídeo são controlados pelo teclado de um telefone. Todo mundo tem mordomo, mas a Suíte 1801 deve ser reservada quando se quer diversão. O spa (pág. 90), com parede de vidro, oferece vistas maravilhosas enquanto você relaxa, e o transporte para o aeroporto internacional sai do heliponto e leva apenas 20 minutos.

Rua Oscar Freire, 384, tel 3068 4399

Hilton São Paulo Morumbi

Inaugurado no Morumbi em 2002, um mês depois do Grand Hyatt, o Hilton foi o segundo sinal de que as redes não iam deixar que os elegantes hotéis-butiques ganhassem a corrida por clientes de negócios sem lutar. A localização é boa tanto para grandes compras, a exemplo da Daslu, quanto para o acesso à área financeira. Os quartos executivos têm bar de cortesia e *check-in* separado. O Canvas Bar & Grill se destina a almoços de negócios e procura acrescentar estilo com a arte que pende do teto. Até a recepção (acima) e os quartos *standard* são melhores que a média dos de hotéis de rede, com belos toques contemporâneos. E os hóspedes ainda contam com mimos luxuosos no LivingWell Health Club and Spa.
*Avenida das Nações Unidas, 12901,
tel 6845 0000, www.hilton.com*

Hotel Unique

O mais teatral dos três hotéis-*design* de São Paulo tem quartos menores do que os outros e fica perto do Parque do Ibirapuera. Com projeto de Ruy Ohtake, as suítes situadas nas duas extremidades do corredor perdem espaço em razão da surpreendente curva do edifício (páginas seguintes). Há dispositivos especiais por toda parte, desde as venezianas elétricas que deslizam para os lados até paredes retráteis de vidro que separam o banheiro do quarto e da TV, à qual se pode assistir durante o banho. Os funcionários, com uniformes de Herchcovitch, são simpáticos sem ser intrometidos. A parede do bar do *lobby* é um sonho para os amantes do vinho. Mas o grande destaque é o Skye Bar (pág. 54), na cobertura. A piscina, as paredes de vidro e a vista atraem uma multidão chique.
Avenida Brigadeiro Luís Antônio, 4700, tel 3055 4710, www.hotelunique.com.br

Hotel Unique

24 HORAS
O ESSENCIAL DE SÃO PAULO EM APENAS UM DIA

Um único dia não é suficiente para experimentar os milhares de encantos de uma megalópole como São Paulo. Mas, dentro de um círculo geográfico estreito, na região ao redor dos Jardins, pode-se aproveitar boa parte do que há de melhor na cidade. Os elementos que selecionamos aqui são, de alguma maneira, representativos das coisas que fizeram a grandeza de São Paulo: o provocante *design* modernista; o café, que forneceu o dinheiro para transformar a cidade num dos melhores destinos do mundo; e os imigrantes.

A imigração em massa, que teve início na década de 1870, fez a população da cidade se multiplicar por 100 em apenas 75 anos. Como em qualquer outro lugar, um dos impactos mais visíveis desse influxo deu-se na criação de uma cozinha diversificada e de alta qualidade. Os italianos, que formaram o maior grupo de imigrantes, estão bem representados na seção Vida Urbana deste guia; por isso, aqui demos destaque à melhor comida de imigrantes árabes, que vieram em grande número no começo do século 20 e durante a guerra civil libanesa, e dos 250 mil indivíduos que vieram formar a maior população de descendentes de japoneses fora do Japão.

Assim, nosso passeio de um dia leva você para conhecer algumas das obras arquitetônicas mais importantes do mundo e o trabalho de excelentes artistas brasileiros, diversas opções para saborear a ótima culinária étnica e, por fim, um mergulho na vida noturna que os paulistanos consideram mais elegante que a da cidade rival, o Rio de Janeiro.

Veja os endereços em Informações.

11h Mercado Municipal

Quase todas as ruas de São Paulo têm um boteco onde tomar um cafezinho rápido, mas, se você quiser demorar um pouco mais na primeira parada do dia, vá ao Santo Grão (tel 3082 9969), que tem a fama de melhor café da cidade. Depois, dê um pulo no Mercado Municipal (acima), o principal da cidade e catedral secular de um país que é um dos maiores produtores agrícolas do mundo. Construído em 1933, com projeto de Francisco de Paula Ramos de Azevedo, o prédio mistura os estilos neogótico e neo-românico; e um prazer para os olhos são os vitrais de Felisberto Ranzini. Chamam atenção os enormes rolos de fumo e os pedaços de porco que você nem sabia que eram comestíveis. Vale a pena comprar queijos e azeitonas.
Rua da Cantareira, 306, tel 3228 0673
www.mercadomunicipal.com.br

13h Arábia

Imigrantes sírios e libaneses que chegaram a São Paulo no início do século 20 tinham passaporte otomano e, por isso, ainda são conhecidos genericamente como "turcos". Se você visita a cidade e gosta de comida japonesa, então por que não saborear a culinária libanesa local? A melhor é servida no premiado Arábia, onde, há anos, o casal Leila Youssef e Sergio Kuczynski serve um delicado arroz marroquino com amêndoas torradas e frango, carneiro que derrete na boca e a exclusiva alcachofra recheada com carne moída. Um almoço desses costuma resultar numa tarde sonolenta, mas aqui a comida é leve, e a *fattoush* é excelente.
Rua Haddock Lobo, 1397, tel 3061 2203
www.arabia.com.br

15h30 Daslu
Por quase cinqüenta anos, a Daslu funcionou em casarões discretos e interligados. A loja era a maior fornecedora de marcas famosas no Brasil e tinha um algo a mais que a distinguia. Em 2005, mudou-se para um prédio próprio, que é um enorme centro de compras. A falta de identidade do *design* e a segurança elitista de marcar hora para as compras parecem ter sido muito valorizadas, até mesmo pelos insensíveis paulistanos endinheirados. O brilho da casa lendária pode ter ficado empanado, mas ela continua sendo a loja que oferece todas as etiquetas de alta classe.
Avenida Chedid Jafet, 131, tel 3841 4000
www.daslu.com.br

17h30 Instituto Tomie Ohtake
Com 93 anos e mãe do arquiteto Ruy Ohtake, a artista plástica Tomie Ohtake é uma das mais destacadas do Brasil. O instituto, dirigido por outro filho seu, Ricardo, está voltado para as obras dela e é uma parada obrigatória em qualquer itinerário pela cidade, para se admirar as pinturas abstratas e as esculturas de Tomie e o edifício roxo e rosa de Ruy.
Avenida Brigadeiro Faria Lima, 201, tel 2245

21h30 **Jun Sakamoto**
Se puder, reserve antes de começar o passeio, para ter certeza de que poderá provar a comida de um dos melhores restaurantes japoneses do mundo. A fusão que o sr. Sakamoto faz dos estilos culinários japonês, brasileiro e californiano é inigualável. Num ambiente pequeno, branco e ultramoderno, ele serve um menu de sabores sublimes. Como ele diz, o *sashimi* é apenas peixe, mas o *sushi* é uma arte. As entradas são excepcionais – experimente o *teppanyaki* de peito de pato e o *tempura* superleve com sementes de gergelim. Seu prato exclusivo é o combinado de *tartar* de atum com *foie gras*, uma metáfora desta cidade em que tudo se mistura, mas funciona. Procure se sentar no *sushi bar*, onde poderá observar o artista trabalhando.
Rua Lisboa, 55, tel 3088 6019

1h D-Edge

Embora parte da multidão de fim de semana seja muito jovem para lembrar da pista de dança de *Embalos de Sábado à Noite*, a boate, com capacidade para seiscentas pessoas e o fantástico *design* pulsante de Muti Randolph, é obrigatória numa noite da semana para quem lembra do filme. Randolph trabalhou com o estúdio de *design* Triptyque para criar uma grade de *perspex* e caixas de metal que contêm lâmpadas de néon no interior todo preto. Na pista de dança, as listras de luz são embutidas no piso de concreto, revestido com resina preta, ou pendem do teto. O piscar das luzes é determinado pela batida da música, e as cores, por outros elementos de áudio. E a música é boa.

Alameda Olga, 170, tel 3667 8334
www.d-edge.com.br

VIDA URBANA
CAFÉS, RESTAURANTES, BARES E CASAS NOTURNAS

Os paulistanos se orgulham de ter a vida noturna mais sofisticada e cosmopolita da América do Sul – e queremos dizer vida noturna mesmo, nada que comece antes da meia-noite. Dos restaurantes elegantes dos Jardins aos barzinhos boêmios da Vila Madalena e aos modestos quiosques de *yakitori* (frango grelhado) da Liberdade, o bairro japonês de São Paulo, existe algum lugar onde desfrutar uma boa noite em praticamente todos os bairros. Além disso, há o charme de tomar um guaraná em um boteco ou provar deliciosos sucos diferentes (bacuri, açaí ou cupuaçu) em uma casa de sucos. Se preferir uma bebida alcoólica, não se esqueça dos chopinhos e das caipirinhas (de pinga ou vodca).

Existe um movimento culinário sério em São Paulo, com *chefs* como Leonardo Jun Sakamoto, com seu restaurante homônimo que serve *sushis* fantásticos (pág. 38), Alex Atala, no D.O.M. (pág. 42), e Salvatore Lot, no Restaurante Fasano (pág. 48), que criam uma cozinha contemporânea provocante. E, obviamente, as boates estão florescendo, com casas inauguradas recentemente, como o Royal (Rua da Consolação, 222, tel 3063 2353) e o Clube Glória (Rua 13 de Maio, 830, tel 3287 3700), que devolveram a vida noturna tardia para o Centro. As boates da cidade são surpreendentemente simpáticas – o visitante ainda é bastante raro em São Paulo para provocar uma curiosidade muito enxerida.

Veja os endereços em Informações.

Kosushi

O Jun Sakamoto (pág. 38), mais sóbrio, tem fama de ser um dos melhores restaurantes japoneses da cidade, mas George Yuji Koshoji, *chef* do Kosushi, não fica atrás. Muitas de suas inovações nos *sashimis* foram adotadas por outros restaurantes de São Paulo. O Kosushi também é imbatível na animação noturna, parcialmente provocada pela clientela jovem e rica e também pelo ambiente criado pelo arquiteto Arthur de Mattos Casas, que projetou o hotel Emiliano (pág. 26). No Kosushi, ele produziu um espaço com pé-direito alto e, inspirando-se nos japoneses, usou madeira e lanternas longas, itens que curiosamente combinam bem com as cadeiras de acrílico laranja. Uma filial do Kosushi é uma das melhores coisas no paraíso das compras, a Daslu (pág. 35).

Rua Viradouro, 139, tel 3167 7272

D.O.M.

Se você viaja a negócios sem limite de despesas ou tem fundos para bancar o que há de melhor na cidade, coloque este restaurante no topo de sua lista. Ele pertence ao *chef* e ex-roqueiro Alex Atala, que tem seu próprio programa de TV e reinterpreta os tradicionais ingredientes brasileiros – bacalhau, feijão-preto, farofa – com um toque francês. O D.O.M. foi eleito um dos cinqüenta melhores restaurantes do mundo. Seu projeto é despojado, talvez para não concorrer com a comida. A clientela mistura ricos, famosos e gente que sai para uma ocasião especial. São oferecidos dois menus degustação (R$160 e R$230), e a carta de vinhos fará seus olhos marejarem.
Rua Barão de Capanema, 549, tel 3088 0761, www.domrestaurante.com.br

VIDA URBANA

Restaurante Charlô
O Charlô é o mais elegante dos três restaurantes do Jockey Club (tel 2161 8327), o hipódromo de São Paulo, onde se pode sorver um coquetel em ambiente *art nouveau*. O prédio foi projetado por Elisário Bahiano e Victor Brecheret. O Charlô tem um ótimo bufê. Verifique a temporada de corridas antes de ir até lá.
Avenida Lineu de Paula Machado, 1263, tel 3811 7799, www.charlo.com.br

VIDA URBANA

Rodeio

É praticamente verdade que não faltam ótimos lugares onde comer carne em São Paulo, as famosas churrascarias. Escolha entre as famosas Baby Beef Rubaiyat (tel 3078 9488), cujos proprietários têm a própria fazenda de criação de gado, e o Barbacoa (tel 3168 5522), onde nove diferentes cortes de carne não param de ser oferecidos. Mas na churrascaria Rodeio existe alguma coisa na picanha (temperada no sal e no alho, com uma grossa camada de gordura) que faz a gente voltar sempre. Lembre-se de afrouxar o cinto discretamente.
Rua Haddock Lobo, 1498, tel 3474 1333
www.churrascariarodeio.com.br

VIDA URBANA

Restaurante Fasano

Desde 1982, este templo da moderna cozinha italiana estabeleceu os padrões para todos os outros restaurantes de São Paulo. A mudança, em 2003, para o térreo do hotel da família Fasano (pág. 17), no espaço escuro e teatral criado por Isay Weinfeld e Márcio Kogan, fez com que a casa ficasse ainda mais em alta. O menu se inspira em diversas regiões da Itália.
Rua Vittorio Fasano, 88, tel 3062 4000
www.fasano.com.br

049

VIDA URBANA

Spot

Pequeno, próximo dos altos prédios de escritório da vizinha Avenida Paulista, este restaurante, instalado em um prédio branco e envidraçado, se destaca pelo menu, que funde comida européia e asiática, e também pela multidão de personalidades da mídia e do *design* que atrai há anos. A hora do almoço é relativamente tranqüila, quando a clientela se compõe de funcionários da região. Mas à noite a casa ganha vida, as mesinhas ficam cheias e barulhentas, tomadas por atores, modelos e músicos que vêm para ver e ser vistos – um artifício que os donos também usaram em sua casa de hambúrgueres, o Ritz (tel 3088 6808), que fica nos Jardins. No Spot, pegue uma mesa perto da janela, à esquerda da entrada, para poder contemplar os chafarizes no pátio.
Alameda Ministro Rocha Azevedo, 72, tel 3284 6131, www.restaurantespot.com.br

VIDA URBANA

Forneria San Paolo
Mais um restaurante da família Fasano, este figura entre as diversas opções excelentes na movimentada Rua Amauri, no Itaim Bibi. Isay Weinfeld deu-lhe uma longa cozinha aberta e uma coleção de pôsteres do cinema italiano que faria qualquer cineasta chorar de inveja. Ótimo para um almoço rápido e de qualidade, também fica muito movimentado tarde da noite.
Rua Amauri, 319, tel 3078-4888
www.fasano.com.br

VIDA URBANA

Skye Bar

Pode-se pensar que o Skye Bar ganhou esse nome pelo fato de estar na cobertura do Hotel Unique (pág. 29) e propiciar uma visão fantástica da silhueta dos edifícios de São Paulo. Ou pode-se imaginar que foi uma homenagem ao Skybar, do Mondrian, em Los Angeles. Mas o "e" de Skye dá uma pista. O dono do Unique, o herdeiro da indústria farmacêutica Jonas Siaulys, é fã do Morcheeba e nomeou o bar em homenagem à ex-vocalista do grupo, Skye Edwards. Este é o cenário perfeito para você tomar uma caipirinha no começo da noite, rodeado de gente bonita, que deixaria os freqüentadores do Mondrian no chinelo em termos de grana. Quinta-feira é a melhor noite, antes que os típicos paulistanos desçam para a praia no fim de semana.
Avenida Brigadeiro Luís Antônio, 4700, tel 3055 4702, www.hotelunique.com.br

Baretto

Aconchegante e caloroso, este *jazz-bar*, projetado por Márcio Kogan e Isay Weinfeld no *lobby* do Hotel Fasano (pág. 17), é o bar mais sofisticado da cidade mais sofisticada da América Latina. Os móveis ao estilo de clube inglês, a iluminação discreta e a decoração lembram um salão de coquetel da década de 1930, com um toque atual. O conjunto musical da casa, o Mário Edson Trio, encanta os paulistanos há décadas. Seu repertório de *jazz* e bossa nova é muito suave, e a cantora Ana Cañas (que se apresenta às quintas, às sextas e aos sábados) cativa a platéia. Astros do *jazz* também aparecem regularmente. Preste atenção: as caipirinhas são preparadas com Nega Fulô, cachaça envelhecida em barris de carvalho, produzida mais para exportação.
Rua Vittorio Fasano, 88, tel 3896 4000
www.fasano.com.br

Shimo

A concorrência pelo visual atraente dos restaurantes japoneses ficou um pouco mais competitiva em 2006 com a chegada do Shimo, no formato de uma caixa de sapatos, no Itaim Bibi. A placa de néon da entrada lembra os fliperamas de Pachinko e é uma amostra do interior peculiar do arquiteto Marcelo Rosembaum. Os três andares possuem um vibrante esquema de cores vermelho e rosa, que contrasta com a linha comportada dos móveis. No subsolo, há um bar intimista de saquê; no térreo fica o sushi bar, e uma escada psicodélica leva ao primeiro andar, com cozinha envidraçada voltada para a rua. A culinária e os coquetéis japoneses e brasileiros se fundem para produzir pratos como *sushi* de palmito e bebidas do tipo caipirinha de saquê, muito apreciados pela clientela jovem do Shimo.
Rua Jerônimo da Veiga, 74, tel 3167 2222
www.shimo.com.br

057

VIDA URBANA

Lov.e Club

Casa que atrai os filhos e filhas da elite, *gays* ou héteros, se bem que com concentração dos primeiros na noite de quinta-feira. A boate, inaugurada em 1998, exibe um visual de vibração meio *hippie*, com cores berrantes e até listras cor-de-rosa nos banheiros. Possui uma famosa sala VIP, com acesso restrito nos fundos, e camarotes (evidentemente, São Paulo sofre de alguns exageros hierárquicos). O Lov.e serve um excelente café-da-manhã, que, dado o horário em que os paulistanos terminam suas baladas, pode ser uma ótima e sociável refeição.
Rua Pequetita, 189, tel 3044 1613
www.loveclub.com.br

Disco

Projetada em 2000 como um ambiente totalmente preto com traços de luz, e reformada em 2006 por Isay Weinfeld, a Disco é o tipo de boate que pode fazer o dançarino mais capenga parecer uma celebridade. O novo visual transformou o antigo corredor de entrada com mosaicos escuros num túnel encurvado, com luzes tremulantes, que dá a impressão de que você está sendo perseguido por *paparazzi* que o chamam pelo nome. Ajeite-se nos móveis dos irmãos Campana e admire o fantástico desenho abstrato de trás do bar (págs. seguintes) e terá o cenário envenenado para uma noite de prazer. Para Weinfeld, a boate é a manifestação física da música *Motion Picture Soundtrack*, do Radiohead. Quem somos nós para discordar?
Rua Atílio Innocenti, 160, tel 3078 0404
www.clubdisco.com.br

Disco

VIDA URBANA

SUGESTÕES DE QUEM ESTÁ POR DENTRO
DENISE DAHDAH, JORNALISTA

Denise Dahdah é editora de estilo e moda da revista *Quem*, equivalente brasileira da *People*. Mora em Higienópolis e, para tomar um cafezinho ou café-da-manhã completo, adora o Santo Grão (Rua Oscar Freire, 413, tel 3082 9969), onde os ovos *à benedict* e os sucos feitos na hora são deliciosos. Para um almoço informal, ela opta pelo ambiente descontraído mas elegante do Maní (Rua Joaquim Antunes, 210, tel 3085 4148). O salão de almoço se abre para um pátio coberto e, para comer, Denise adora o maravilhoso arroz selvagem com feijão-preto e farofa de maracujá; ela também recomenda as sobremesas da casa, e diz que a musse de Nutella é imperdível.

Um lugar charmoso para jantar é o Carlota (Rua Sergipe, 753, tel 3661 8670), onde ela pede filé de atum com centola, molho *satay*, purê de batata com noz-macadâmia. O Carlota está instalado num casarão antigo, numa rua tranqüila e arborizada, típica de Higienópolis. Por isso, em noites quentes, quando as janelas ficam abertas, é agradável sentir o ar perfumado, e fica difícil acreditar que se está em São Paulo, diz Denise.

Seu bar preferido é o Balcão (Rua Dr. Melo Alves, 150, tel 3088 3063), onde as vibrações são ótimas, e tem um balcão comprido e sinuoso onde as pessoas se sentam ao lado de gente famosa ou desconhecida. Quando quer ir a uma boate, ela indica o Royal (Rua da Consolação, 222, tel 3063 2353), lugar para encontrar celebridades e palco de algumas das festas mais exclusivas da cidade. É pequeno, mas muito bem decorado, e tem os melhores DJs.

Veja os endereços em Informações.

VIDA URBANA

ARQUITOUR
UM PASSEIO PELAS CONSTRUÇÕES MAIS MARCANTES

Como convém a uma cidade orgulhosa de seu trabalho e imperturbável em seu culto à riqueza, São Paulo está mais preocupada com questões de produção e consumo, e com sua população, que não pára de crescer, do que com a preservação. O passado distante ganhou pouco espaço numa cidade tão empenhada com o aqui-e-agora. Basta ver que pouquíssimas mansões dos barões do café que cobriam a Avenida Paulista na década de 1890 sobreviveram à explosão imobiliária da década de 1960. Quanto às edificações mais antigas, do passado colonial do Brasil, quase todas desapareceram. Duas das edificações de grande importância histórica, o Pateo do Collegio (Praça Pátio do Colégio, tel 3105 6898), onde os jesuítas começaram a catequizar São Paulo, e a casinha perto da qual dom Pedro proclamou a Independência em 1822, não passam de cópias das construções originais.

O que não falta à cidade são exemplos de arquitetura modernista, os melhores da América Latina: visite o elegante Edifício Copan (pág. 10), de Oscar Niemeyer; o primeiro arranha-céu da cidade, o Edifício Martinelli (Avenida São João, 35, tel 3104 2477); o prédio mais alto da região, o Edifício Itália (Avenida Ipiranga, 344, tel 2189 2990) e estruturas como o Museu Brasileiro de Escultura (página ao lado), de Paulo Mendes da Rocha, ganhador do Prêmio Pritzker. Tudo isso, mais a obra de brutalistas como Lina Bo Bardi e Rino Levi, quase nos fazem achar bom que os paulistanos não tenham preservado as construções do passado.

Veja os endereços em Informações.

Museu Brasileiro de Escultura (MuBE)

Em 1986, Paulo Mendes da Rocha ganhou o concurso para projetar o museu nacional de escultura, ao produzir não apenas o prédio, como também uma série de placas brutalistas entrelaçadas, que formatam o museu, além de criar espaços. Com isso, elas reinventam a paisagem do entorno. O terreno triangular de 7.000m² fica ao lado de uma rua que liga o bairro residencial do Jardim Europa ao Centro. Mendes da Rocha tratou o museu e o terreno como um todo – as grandes placas criam parcialmente os espaços internos subterrâneos e também formam o pátio externo. Apesar de sua complexidade, as formas são simples, feitas só de concreto. Tudo é dominado por uma viga de 60m de comprimento e 12m de largura, que modela o museu, fazendo uma espécie de pórtico.
Rua Alemanha, 218, tel 3081 8611
www.mube.art.br

Museu Brasileiro de Escultura

ARQUITOUR

Edifício Bretagne
Existem muitos edifícios admiráveis em Higienópolis. Dê uma andada pelas ruas arborizadas e observe alguns templos da modernidade, como o Edifício Lausanne, de Franz Heep, ou sua torre de apartamentos, a Lugano Locarno; o Edifício Louveira, de Vilanova Artigas (pág. 70), ou o Edifício Prudência, de Rino Levi e Cerqueira César, na Avenida Higienópolis, 265. Para uma mudança de estilo, dê uma espiada na caixa de chocolate gótica que é a Vila Maria. Na esquina da Avenida Higienópolis com a Rua Dona Veridiana, ela agora abriga o São Paulo Club, só para homens. Outro edifício que se destaca é o Bretagne, de João Artacho Jurado (à direita), um dos melhores endereços residenciais do mundo. Este prédio é um festival de exuberância – desde os móveis de *boudoir* no saguão até os frisos caprichosos no teto e o bar no térreo, exclusivo para moradores. Procure descolar um convite para observar de perto como seria viver num de seus apartamentos.

ARQUITOUR

Edifício Louveira

O auge da construção de apartamentos para a burguesia em Higienópolis foi da década de 1940 ao início da década de 1950, quando suas ruas arborizadas ecoavam a barulheira das obras. Um dos pioneiros foi Vilanova Artigas, originalmente influenciado por Frank Lloyd Wright, que utilizou a continuidade espacial e desníveis para criar grandes vãos e mezaninos ligados por rampas, a exemplo do Edifício Louveira, de 1946. Ele estabeleceu uma tendência ao trazer o artista Francisco Rebollo Gonsales para pintar murais. O uso da cor e o tipo de veneziana trouxeram um estilo moderno tropical para o bairro. Artigas continuou a projetar algumas das estruturas brutalistas mais importantes de São Paulo, como a Faculdade de Arquitetura e Urbanismo da Universidade de São Paulo. Durante a ditadura militar, ficou muito tempo isolado por causa de suas idéias esquerdistas.
Praça Vilaboim

ARQUITOUR

Casa de Vidro
A residência de Lina Bo Bardi foi construída em meio a uma floresta de mata atlântica, em grande parte destruída para dar lugar ao elegante bairro do Morumbi (embora uma vegetação densa ainda resista no jardim da casa). Erguida em 1950-51, foi a primeira construção de Lina Bo Bardi, que aqui morou até sua morte. Agora, a casa está vinculada a um instituto dedicado à sua obra.
Rua Bandeirante Sampaio Soares, 420

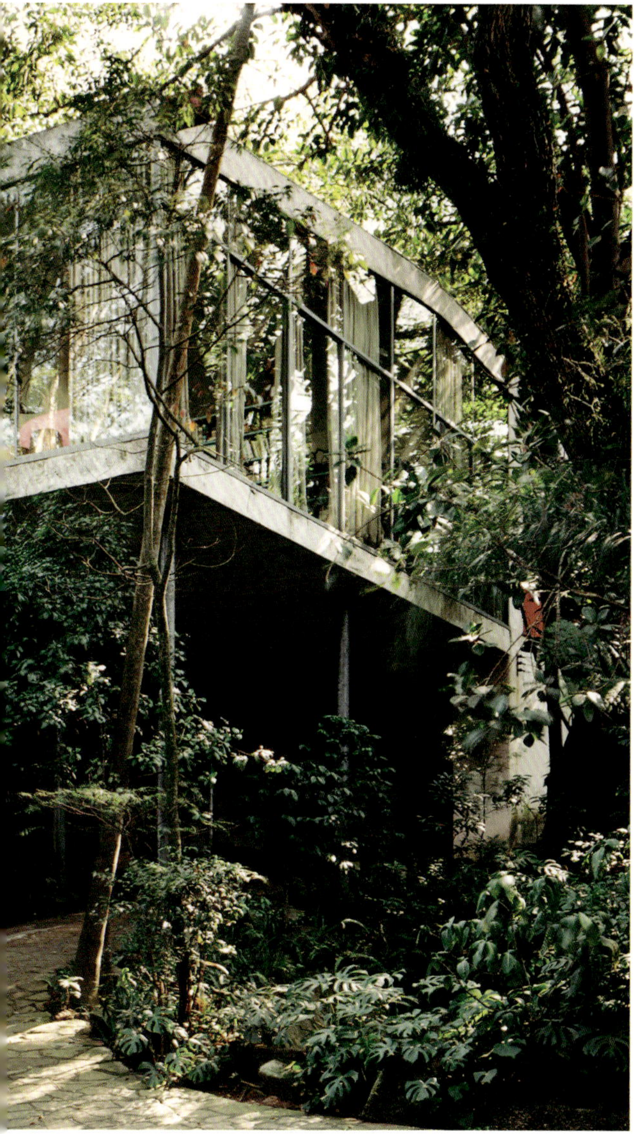

Praça do Patriarca
Ao reformar esta praça no centro de São Paulo, no início da década de 1990, Paulo Mendes da Rocha mostrou aos futuros juízes do Prêmio Pritzker que podia usar aço e concreto em formas esculturais, mas que também era capaz de realizar mudanças importantes no meio urbano, respeitando a população. Sua Praça do Patriarca envolveu a reorganização do fluxo do trânsito, mudando os pontos de ônibus da área para o Viaduto do Chá, ao lado. O piso original da praça foi restaurado, e acrescentou-se um elemento surpreendente: uma cobertura suspensa de aço. Vale a pena visitar a praça para observar que a cobertura não se apóia no solo, pois fica suspensa por uma arquitrave aérea, que emoldura a visão do entorno da praça.
Rua Líbero Badaró/Rua Direita

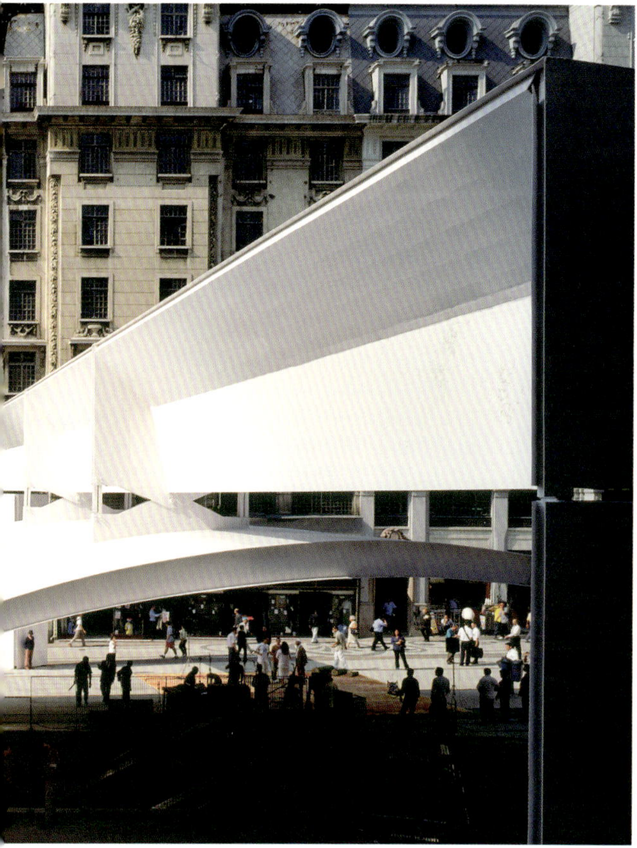

Museu de Arte de São Paulo (Masp)

Lina Bo Bardi, membro do Partido Comunista Italiano durante a Segunda Guerra Mundial, trocou a Itália pelo Brasil em 1946. Embora também tenha trabalhado no Rio e em Salvador, sempre estará associada a São Paulo, onde morreu em 1992. Seu caixote de arte brutalista, projetado em 1957 e inaugurado em 1968, se destaca em meio aos arranha-céus da Avenida Paulista, onde parece pairar entre dois arcos retangulares de concreto vermelho. Dentro está a melhor coleção de arte européia da América Latina – testemunho do poder de compra dos barões do café que viveram na Avenida e da influência do marido de Lina, Pietro Maria Bardi, que reuniu a maior parte da coleção. Ali estão ótimos Picassos, um ou dois Degas e divertidas obras de Bosch, além de um restaurante.
Avenida Paulista, 1578, tel 3251 5644
www.masp.uol.com.br

ARQUITOUR

Auditório Ibirapuera
Durante décadas, o projeto do Parque do Ibirapuera, de Oscar Niemeyer e Roberto Burle Marx, ficou como um grande "e se..." no mundo da arquitetura. Mas, finalmente, a visão deles para a obra modernista foi terminada em 2005 com a construção do auditório de Niemeyer, em formato de cunha branca. O parque se anima em fins de semana e feriados.
Avenidas Pedro Álvares Cabral/ República do Líbano/Quarto Centenário

ARQUITOUR

COMPRAS
LOJAS SELECIONADAS E O QUE COMPRAR

As compras em São Paulo são, com certeza, as melhores do Brasil, e provavelmente da América Latina. Pode-se dizer isso só de observar os paulistanos endinheirados, quando se pavoneiam pelos bairros de elegância ostensiva – talvez eles trabalhem muito mais que os cariocas, mas não se descuidam quando o negócio é moda. A Rodeo Drive da cidade é a agradável e arborizada Rua Oscar Freire, no miolo dos Jardins, mas não se esqueça das travessas e dos estilistas que estão despontando na parte sul da Rua Augusta – uma área que está se tornando conhecida como Baixos Jardins.

As etiquetas brasileiras têm um aspecto diferenciado e fama de qualidade. Procure as lojas especializadas em roupas de praia e esportivas Rosa Chá e Osklen, que vendem artigos como uma capa de couro de emu para *skate* por R$4.200 e têm diversas filiais. Nomes mais novos, como Adriana Barra (Rua Peixoto Gomide, 1091, tel 3064 3691), valem uma visita, do mesmo modo que nomes consagrados, como Maria Bonita Extra (Avenida Brigadeiro Faria Lima, 2232, tel 3032 5098), enquanto o estilo *underground* pode ser encontrado na Galeria Ouro Fino (Rua Augusta, 2690, tel 3082 7860). Vá à loja Garimpo (Rua Bela Cintra, 1677, tel 3081 0107) para comprar tecidos, à Loja do Bispo (Rua Dr. Melo Alves, 278, tel 3064 8673) para peças de arte pouco convencionais, e ao grupo de lojas da Alameda Gabriel Monteiro da Silva, se quiser artigos para a casa. A imagem da sofisticadíssima loja Daslu ficou um pouco arranhada (pág. 35), mas ela ainda oferece todas as grifes mais badaladas sob o mesmo teto e tem exclusividade da marca Jimmy Choo.

Veja os endereços em Informações.

Berliner

Reviva *Adeus, Lênin!*, e faça a festa nesta loja chique, com *design* despojado e pirado, que surge ao se subir uma escadinha e entrar pela porta de aço. Ela fica na Rua Augusta, logo abaixo da esquina com a Rua Oscar Freire. É uma das diversas lojas de São Paulo que se beneficiaram do toque da consultora de moda Helena Montanarini. O *hall* de entrada, limpo e apainelado, leva a uma butique circular que dispõe de boas opções de roupas, acessórios, livros e bugigangas (ou seriam *Spieltzeug*?), nos quais se identifica a tendência alemã ou, mais especificamente, berlinense. Entre os achados estão as velhas bolsas escolares Trabant de Luxe e alguns vestidos antigos, em marrom e laranja, da década de 1970. Deixe sua avó confusa com um cartão-postal de Berlim enviado do Brasil.
Rua Augusta, 2845, tel 3085 0906
www.bln.com.br

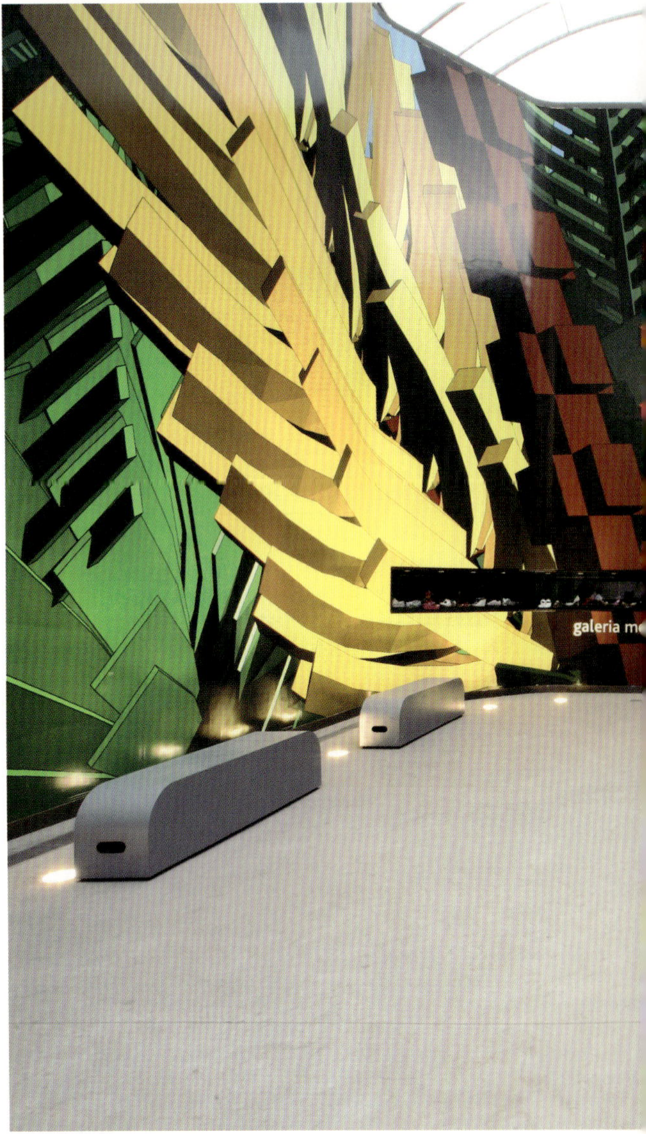
galeria

Galeria Melissa
A expressão "loja de sapatos" não faz justiça à Galeria Melissa. Muti Randolph, também *designer* do D-Edge (pág. 39), refaz a loja e a entrada a cada três meses com novos painéis de arte. O que permanece são os estandes de bolha que expõem modelos como os do estilista Karim Rashid.
Rua Oscar Freire, 827, tel 3083 3612
www.melissa.com.br

Clube Chocolate

Butique com miniloja de departamentos, café e comidas saudáveis, a Clube Chocolate é em parte obra de Isay Weinfeld, que corajosamente produziu uma loja de roupas femininas sem nenhuma vitrine, e em parte trabalho de Helena Montanarini, que lhe conferiu o conceito. Internamente, é uma loja clara, de quatro andares com palmeiras e uma praia falsa, à qual se chega por uma escada circular. No térreo há uma "banca de frutas" que oferece *kits* de frutas que combatem celulite, depressão e muitos outros males. No café, que fica no subsolo, perto da praia, você pode adquirir a cadeira em que está sentado e a música que escuta, e juntá-las às suas compras de moda. A marca está sendo negociada com a empresa têxtil portuguesa Riopele; por isso, aguarde e logo verá outras *concept-stores* como esta no Porto, em Nova York e Paris.
Rua Oscar Freire, 913, tel 3084 1500

Forum

Mesmo entre as muitas lojas sofisticadíssimas e caras da Rua Oscar Freire, a Forum consegue se destacar. Nela, Isay Weinfeld misturou um *design* limpo, branco, moderno, com materiais táteis, naturais do Brasil, transformando a loja em uma espécie de teatro, com escadaria em mosaico de vidros coloridos, proporcionando uma entrada triunfal. No topo da escada há um bar e uma parede feita de madeira, cipó e barro. Nos demais espaços brancos e angulares há algumas peças de roupa e sapatos, e, no piso, um carpete brasileiro feito à mão, banquinhos de couro e mesas de madeira crua. Também aparecem cânhamo, ratã e bambu. Vale a pena visitar tanto pela arquitetura quanto pelas roupas maravilhosas.
Rua Oscar Freire, 916, tel 3085 6269

form

coleções exclusivas

Forma
O que é mais interessante aqui: os móveis ou o edifício que os contém? A loja, projetada por Paulo Mendes da Rocha, tem suas mercadorias expostas numa vitrine elevada que rasga o edifício de lado a lado. Em essência, trata-se de um *outdoor* voltado para a rua. Na entrada, o destaque fica por conta da escada retrátil.
Avenida Cidade Jardim, 924, tel 3816 7233, www.forma.com.br

ESPORTES E SPAS
EXERCITE-SE, RELAXE OU APENAS ASSISTA

Apesar dos campeões de Fórmula 1, de tênis, de vôlei de praia, entre outros, a vida esportiva brasileira, como não poderia deixar de ser, gira em torno do futebol. No âmbito mundial, o futebol brasileiro é sinônimo de ataque atraente e talentoso. Dentro de casa, as coisas são um pouco diferentes. Embora não esteja propriamente em crise, o esporte tem problemas graves. Os clubes exportam seus craques ainda muito jovens para qualquer país do mundo; a violência ocasional nos jogos e os enormes engarrafamentos de trânsito em volta dos estádios estão fazendo com que diversos jogos se realizem com apenas um terço dos ingressos vendidos; um desconcertante calendário de campeonatos estaduais e nacionais deixa os jogadores exaustos e desvaloriza as partidas; e a incrível pressão por resultados nos times maiores faz com que eles raramente mantenham seus técnicos por mais de uma temporada. Mas o Brasil continua obcecado por um jogo bonito, e não se pode perder a oportunidade de assistir a uma bela partida de times como Corinthians, Palmeiras, São Paulo e Santos.

Para você se manter em forma, além das corridas matinais e dos passeios de bicicleta pelo Parque do Ibirapuera (pág. 78), diversos hotéis dispõem de boas academias de ginástica. Atualmente, há uma indústria destinada a agradar aos visitantes, e alguns hotéis contam com spas chiquérrimos.

Veja os endereços em Informações.

Sesc Fábrica da Pompéia

Tornando-se associado do Sesc, entidade mantida por empresários do comércio de bens e serviços, você poderá se exercitar nesta preciosidade arquitetônica. O Sesc Pompéia é obra da arquiteta Lina Bo Bardi, realizada numa antiga fábrica (acima) na Rua Clélia. Este equipamento urbano dispõe de piscina, ginásio, três salões de esportes, seis quadras poliesportivas e quatro salões com aparelhos. Lina Bo Bardi acrescentou duas torres altas ligadas por passarelas em triângulos, transformando a fábrica num espaço modernista brutalista de 12.000m². O bloco menor, que contém o ginásio, possui diversas janelas de formato irregular. O conjunto também tem cervejaria, restaurante, biblioteca, teatro, oficinas e espaço para exposições.
Rua Clélia, 93, tel 3871 7700
www.sescsp.com.br

Emiliano Spa

Pela localização e decoração, fica difícil superar o spa no alto do Hotel Emiliano (pág. 26). No salão de banhos e natação (acima), as *chaises longues* se alinham sob a grade de vidro elaborada por Arthur de Mattos Casas, que deixa a luz do sol entrar e funciona como parede. Você pode se recostar e apreciar a vista dos Jardins, do Parque do Ibirapuera e da metrópole abaixo, enquanto relaxa após uma massagem com óleos essenciais Decléor. Existem três salas de massagem, sala de banho com ofurô, sauna com TV de tela plana, banheiros de mármore de Carrara com chuveiros de pressão massageadora, e uma nutricionista de plantão para preparar alguma iguaria levíssima. Afinal, você trabalha duro e a vida é complicada, mas, com sorte, alguém vai pagar a conta.
Rua Oscar Freire, 384, tel 3069 4369
www.emiliano.com.br

ESPORTES

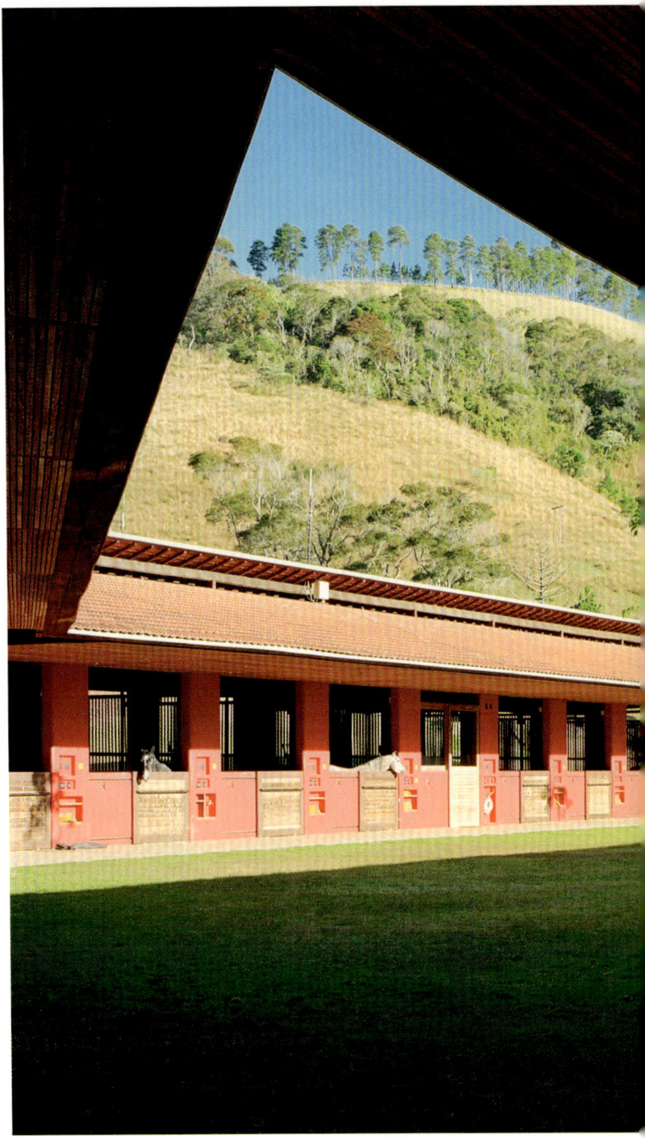

Haras Polana
A bonita região da serra da Mantiqueira sempre concentrou os ricos que queriam escapar da confusão urbana. E um jeito civilizado de aproveitar o campo é com aulas de hipismo dadas por um instrutor de nível olímpico no Haras Polana. A aula de 50 minutos custa R$120.
Rua José de Melo Mendes, 25,
São Bento do Sapucaí, tel 12 3971 1883
www.haraspolana.com.br

Fasano Spa
Situado no topo do Hotel Fasano (pág. 17), este spa tem piscina com excelente vista da cidade e rodeada por poltronas Hans Wegner, para o deleite dos apreciadores de bom *design*. Quem cuida do spa é a clínica Luiza Sato, a mais bem-sucedida clínica de *shiatsu* de São Paulo, que tem diversos spas espalhados pela cidade (www.luizasato.com.br).
Rua Vittorio Fasano, 88, tel 3896 4000
www.fasano.com.br

ESPORTES

REFÚGIOS
AONDE IR PARA DAR UM TEMPO DA CIDADE

Como e quando sair são elementos fundamentais para quem quer fugir de São Paulo. Se você tiver possibilidade de usar um helicóptero, use-o, pois o trânsito para o litoral é insuportável, principalmente nos fins de semana. Em feriados, pode levar horas para percorrer 20km. Mas, se tiver de ir de carro, saia cedo – o paulistano descolado sai da balada de madrugada e vai direto para a praia, onde acaba adormecendo na areia. O litoral próximo a São Paulo pode ser dividido nas áreas ao norte de Santos, que é mais desenvolvida e tem as melhores praias, e ao sul da cidade, onde estradas precárias e praias menos atraentes resultaram num turismo menos importante.

Quase a meio caminho do Rio, na saída do estado de São Paulo, fica a bela e antiga cidade colonial de Parati (pág. 100), um lugar ideal se você quiser se dar o prazer da ociosidade, perambulando pelas ruas e fazendo passeios de barco às ilhas e praias da região. Outro destino agradável é Ilhabela, talvez um dos lugares mais bonitos da costa entre Santos e Rio. Bonita ilha vulcânica, a 15 minutos de *ferryboat* de São Sebastião, é coberta de densa vegetação e constitui um dos principais refúgios de verão para os paulistanos endinheirados.

Ao sul de São Paulo fica o paraíso arquitetônico de Curitiba (pág. ao lado). É claro que, para todos os fãs do modernismo, um vôo de 90 minutos até Brasília é obrigatório e, se sobrar tempo enquanto estiver na cidade, também vale a pena conhecer Goiânia (pág. 102), outra cidade brasileira planejada.

Veja os endereços em Informações.

Curitiba

Antiga vila de tropeiros, Curitiba fica na serra do Mar e se tornou cidade pujante depois que alemães, poloneses, italianos e ucranianos passaram a povoá-la no século 19 e início do século 20. Agora, ela é um exemplo do que ocorreria se os arquitetos mandassem no mundo. Na década de 1960, Jaime Lerner lançou um amplo programa de planejamento urbano, que incluía o gerenciamento radical do trânsito, o controle total das construções e a criação de enormes parques públicos. Resultado: Curitiba é uma das cidades mais limpas e mais bem administradas da América do Sul, com excepcional arquitetura moderna, que conta com o Museu Oscar Niemeyer (acima, tel 41 3350 4400) e a Ópera de Arame (no verso, tel 41 354 3266), com projeto de Domingos Bongestabs.

Ópera de Arame, Curitiba

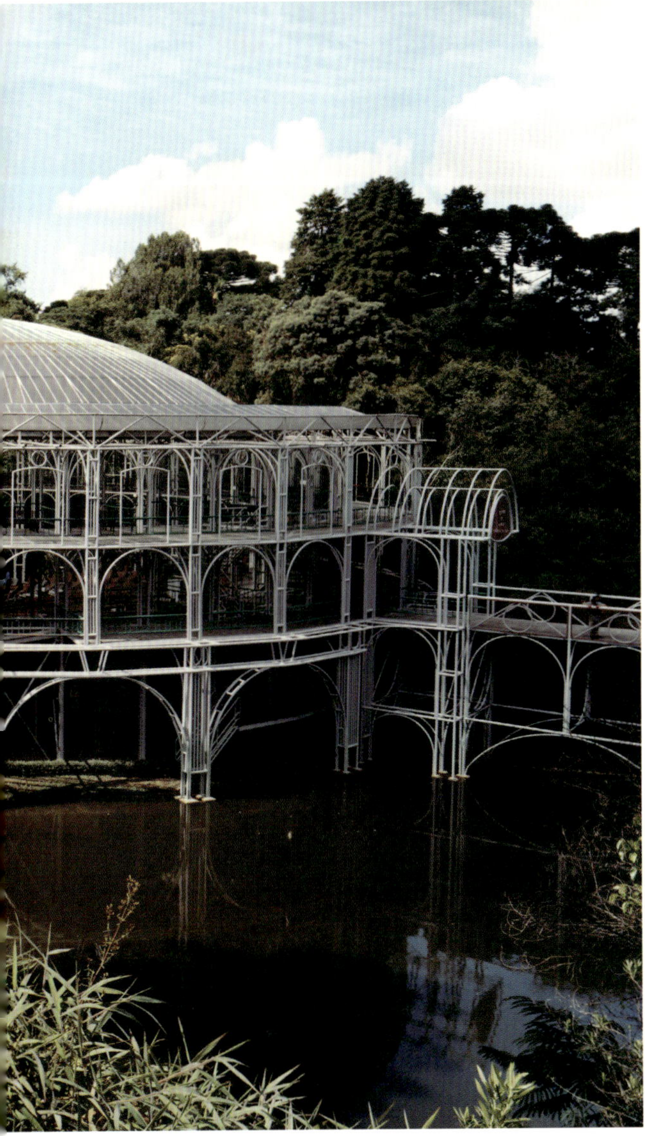

Parati

No século 18, praticamente todo o ouro brasileiro extraído nas Minas Gerais era obrigado a passar por Parati antes de seguir para Portugal. Quando a rota foi desviada para o Rio de Janeiro, Parati parou no tempo, o que deixou suas construções coloniais intocadas. Agora, as ruazinhas calçadas de pedras desta cidade declarada pela Unesco patrimônio da humanidade não suportam veículos motorizados. Se você se cansar de ver igrejas barrocas e da serenidade do local, existem 65 ilhas e trezentas praias, às quais se chega de barco, em percursos rápidos. Os barcos podem ser contratados em seu hotel ou no porto. Um lugar maravilhoso para se hospedar é a Pousada do Ouro (tel 24 3371 1378), que ocupa uma bonita construção colonial – os melhores quartos ficam na casa principal –, ou experimente uma suíte de pé-direito alto no Hotel Coxixo (tel 24 3371 8325).

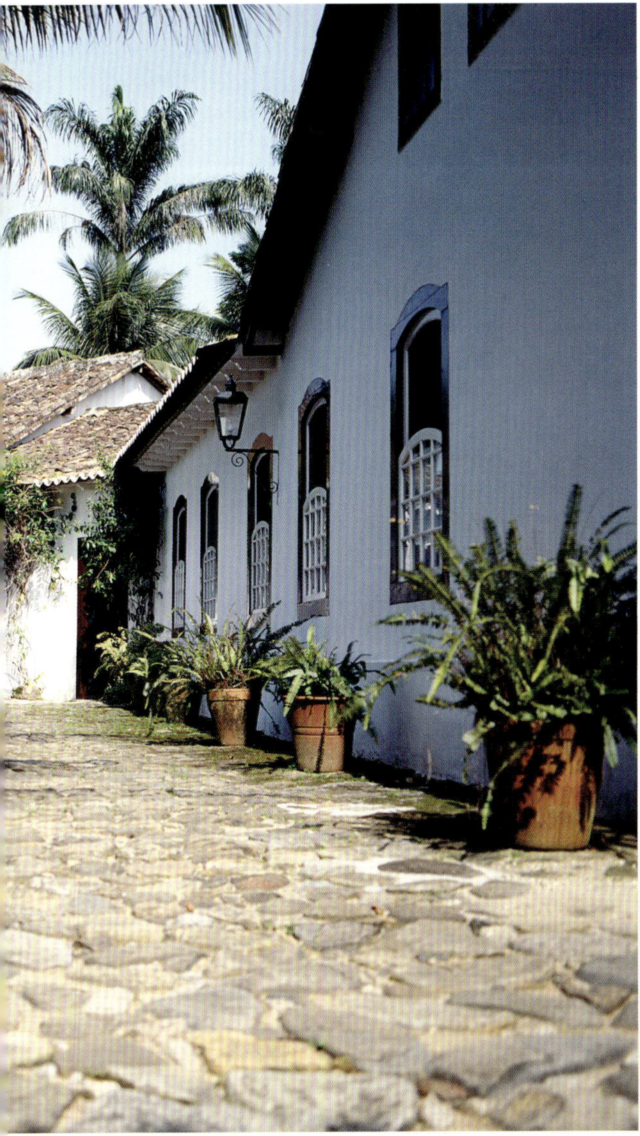

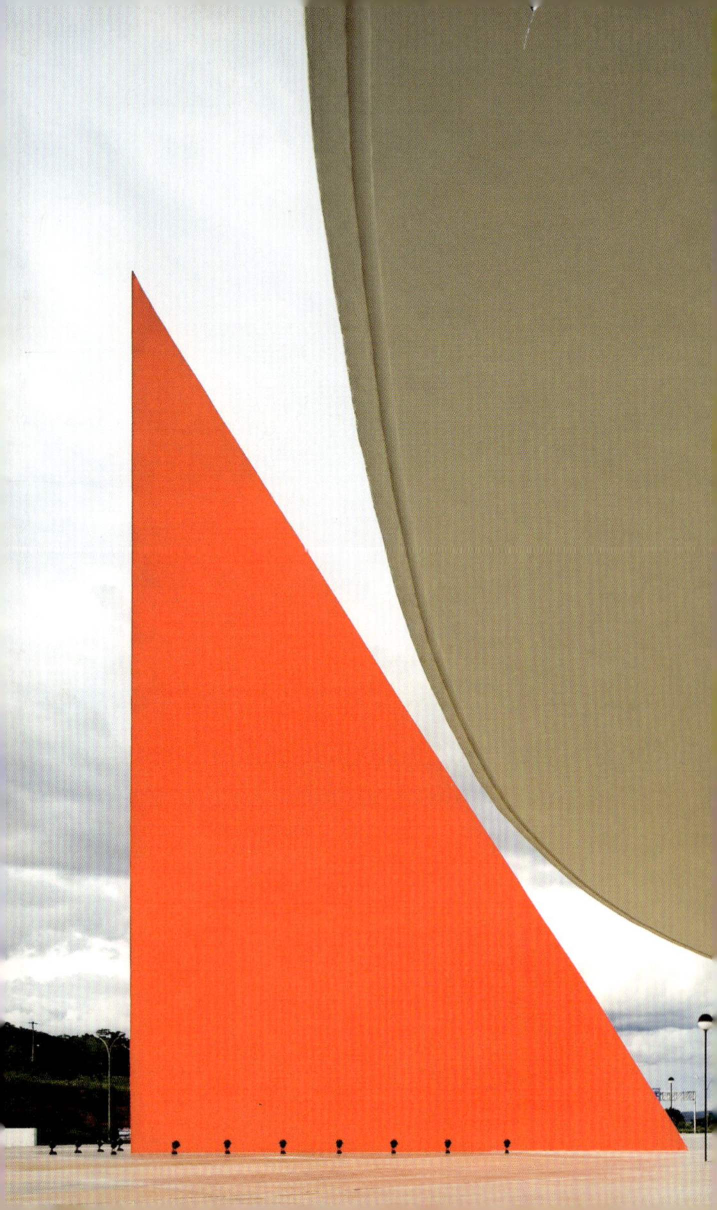

Centro Oscar Niemeyer, em Goiânia
Um poema de curvas e ângulos de concreto, este centro cultural é um Niemeyer clássico. No conjunto, a obra lembra seus trabalhos no Parque do Ibirapuera (pág. 78), e a cúpula se assemelha à do Senado, em Brasília. A pirâmide vermelha, monumento aos direitos humanos, dispõe de espaço para apresentações na base, ao passo que o bloco redondo de concreto branco abriga um museu de arte moderna e o bloco retangular contém a biblioteca.

ANOTAÇÕES
REGISTROS E LEMBRETES

INFORMAÇÕES
ENDEREÇOS

A

Adriana Barra 080
Rua Peixoto Gomide, 1081
tel 3064 3691
www.adrianabarra.com.br

Arábia 034
Rua Haddock Lobo, 1397
tel 3061 2203
www.arabia.com.br

Auditório Ibirapuera 078
Avenidas Pedro Álvarez Cabral/
República do Líbano/
Quarto Centenário

B

Baby Beef Rubaiyat 046
Avenida Brigadeiro Faria Lima, 2954
tel 3078 9488
www.rubaiyat.com.br

Balcão 062
Rua Dr. Melo Alves, 150
tel 3088 3063

Barbacoa 046
Rua Dr. Renato Pais de Barros, 65
tel 3168 5522
www.barbacoa.com.br

Baretto 055
Fasano
Rua Vittorio Fasano, 88
tel 3896 4000
www.fasano.com.br

Berliner 081
Rua Augusta, 2845
tel 3085 0906
www.bln.com.br

C

Carlota 062
Rua Sergipe, 753
tel 3661 8670
www.carlota.com.br

Casa de Vidro 072
Rua Bandeirante Sampaio Soares, 420

Centro Oscar Niemeyer 102
Estrada Estadual GO-020
Goiânia

Clube Chocolate 084
Rua Oscar Freire, 913
tel 3084 1500
www.clubechocolate.com

Clube Glória 040
Rua 13 de Maio, 830
tel 3287 3700
www.clubegloria.com.br

D

Daslu 035
Avenida Chedid Jafet, 131
tel 3841 4000
www.daslu.com.br

D-Edge 039
Alameda Olga, 170
tel 3667 8334
www.d-edge.com.br

Disco 059
Rua Atílio Innocenti, 160
tel 3078 0404
www.clubdisco.com.br

D.O.M. 042
Rua Barão de Capanema, 549
tel 3088 0761
www.domrestaurante.com.br

E
Edifício Bretagne 068
Avenida Higienópolis, 938
Edifício Copan 010
Avenida Ipiranga, 200
Edifício Itália 064
Avenida Ipiranga, 344
tel 2189 2990
Edifício Lausanne 062
Avenida Higienópolis, 101-111
Edifício Louveira 070
Praça Vilaboim
Edifício Martinelli 064
Avenida São João, 35
tel 3104 2477
Edifício Prudência 068
Avenida Higienópolis, 265
Emiliano Spa 090
Emiliano
Rua Oscar Freire, 384
tel 3069 4369
www.emiliano.com.br

F
Faculdade de Arquitetura da Universidade de São Paulo 070
Cidade Universitária
tel 3091 4552
www.admfau.usp.br
Fasano Spa 094
Fasano
Rua Vittorio Fasano, 88
tel 3896 4000
www.fasano.com.br

Forma 086
Avenida Cidade Jardim, 924
tel 3816 7233
www.forma.com.br
Forneria San Paolo 052
Rua Amauri, 319
tel 3078 4888
www.fasano.com.br
Forum 085
Rua Oscar Freire, 916
tel 3085 6269
www.forum.com.br

G
Galeria Melissa 082
Rua Oscar Freire, 827
tel 3083 3612
www.melissa.com.br
Galeria Ouro Fino 080
Rua Augusta, 2690
tel 3082 7860
www.galeriaourofino.com.br
Garimpo 080
Rua Bela Cintra, 1677
tel 3081 0107
www.garimpo-fuxique.com.br

H
Haras Polana 092
Rua José de Melo Mendes, 25
São Bento do Sapucaí
tel 12 3971 1883
www.haraspolana.com.br

I
Instituto Tomie Ohtake 036
Avenida Brigadeiro Faria Lima, 201
tel 2245 1900
www.institutomieohtake.org.br

J

Jockey Club 044
*Avenida Lineu de Paula Machado, 1263
tel 2161 8375
www.jockeysp.com.br*

Jun Sakamoto 038
*Rua Lisboa, 55
tel 3088 6019*

K

Kosushi 041
*Rua Viradouro, 139
tel 3167 7272
www.kosushi.com.br*

L

Loja do Bispo 080
*Rua Dr. Melo Alves, 278
tel 3064 8673
www.lojadobispo.com.br*

Lov.e Club 058
*Rua Pequetita, 189
tel 3044 1613
www.loveclub.com.br*

Luiza Sato 094
*Rua Joaquim Antunes, 161
tel 3081 8320
www.luizasato.com.br*

M

Maní 062
*Rua Joaquim Antunes, 210
tel 3085 4148
www.restaurantemani.com.br*

Maria Bonita Extra 080
*Avenida Brigadeiro Faria Lima, 2232
tel 3032 5098
www.mariabonitaextra.com.br*

Mercado Municipal 033
*Rua da Cantareira, 306
tel 3228 0673
www.mercadomunicipal.com.br*

Museu Brasileiro de Escultura (MuBE) 065
*Rua Alemanha, 218
tel 3081 8611
www.mube.art.br*

Museu de Arte de São Paulo (Masp) 076
*Avenida Paulista, 1578
tel 3251 5644
www.masp.uol.com.br*

Museu Oscar Niemeyer 097
*Rua Marechal Hermes, 999
Curitiba
tel 41 3350 4400*

O

Ópera de Arame 097
*Parque das Pedreiras
Curitiba
tel 41 354 3266*

Osklen 080
*Rua Oscar Freire, 645
tel 3083 7977
www.osklen.com*

P

Pateo do Collegio 064
*Praça Pátio do Colégio
tel 3105 6898*

Pinacoteca do Estado 012
*Praça da Luz, 2
tel 3229 9844
www.pinacoteca.sp.gov.br*

Praça do Patriarca 074
Rua Líbero Badaró/Rua Direita

R
Restaurante Charlô 044
Avenida Lineu de Paula Machado, 1263
tel 3811 7799
www.charlo.com.br
Restaurante Fasano 048
Rua Vittorio Fasano, 88
tel 3062 4000
www.fasano.com.br
Ritz 050
Alameda Franca, 1088
tel 3088 6808
Rodeio 046
Rua Haddock Lobo, 1498
tel 3474 1333
www.churrascariarodeio.com.br
Rosa Chá 080
Rua Oscar Freire, 977
tel 3081 2793
www.rosacha.com.br
Royal 040
Rua da Consolação, 222
tel 3063 2353
www.royalclub.com.br

S
Santo Grão 033
Rua Oscar Freire, 413
tel 3082 9969
www.santograo.com.br

Sesc Fábrica da Pompéia 089
Rua Clélia, 93
tel 3871 7700
www.sescsp.com.br
Shimo 056
Rua Jerônimo da Veiga, 74
tel 3167 2222
www.shimo.com.br
Skye Bar 054
Avenida Brigadeiro Luís Antônio, 4700
tel 3055 4702
www.hotelunique.com.br
Spot 050
Alameda Ministro Rocha Azevedo, 72
tel 3284 6131
www.restaurantespot.com.br

HOTÉIS
ENDEREÇOS E PREÇOS

Emiliano 026
Diárias:
Apartamento de luxo, R$769
Suíte 1801, preço sob consulta
Rua Oscar Freire 384
tel 3068 4399
www.emiliano.com.br

Fasano 017
Diárias:
Casal, R$727
Apartamento de luxo, R$876
Rua Vittorio Fasano 88
tel 3896 4077
www.fasano.com.br

Grand Hyatt 020
Diárias:
Aptos. Grand Queen e King, R$336
Avenida das Nações Unidas 13301
tel 6838 1234
www.saopaulo.grand.hyatt.com

Hilton São Paulo Morumbi 028
Diárias:
Casal, R$620
Avenida das Nações Unidas 12901
tel 6845 0000
www.hilton.com

Hotel Coxixo 100
Diárias:
Casal, R$122-180
Rua do Comércio 362
Parati
tel 55 24 3371 8325
www.hotelcoxixo.com.br

Hotel Unique 029
Diárias:
Casal, R$630
Avenida Brigadeiro Luís Antônio 4700
tel 3055 4710
www.hotelunique.com.br

L'Hotel São Paulo 024
Diárias:
Casal, R$440
Alameda Campinas 266
tel 2183 0525
www.lhotel.com.br

Maksoud Plaza 025
Diárias:
Casal, R$342
Suíte Presidencial, preço sob consulta
Alameda Campinas 150
tel 3145 8000
www.maksoud.com.br

Normandie Design Hotel 016
Diárias:
Casal, R$98
Avenida Ipiranga 1187
tel 3311 9855
www.normandiedesign.com.br

Pergamon 016
Diárias:
Casal, R$267
Rua Frei Caneca 80
tel 3120 2021
www.pergamon.com.br

Pousada do Ouro 100
Diárias:
Casal, R$190
Antiga Rua da Praia 145
Parati
tel 55 24 3371 1378
www.pousadaouro.com.br

Renaissance 022
Diárias:
Casal, R$545
Suíte Presidencial, R$11.559
Alameda Santos 2233
tel 3069 2233
www.marriott.com

WALLPAPER* CITY GUIDES
Diretor Editorial
Richard Cook
Diretor de Arte
Loran Stosskopf
Editor de Cidade
Paul McCann
Edit
Rachael Moloney
Editor-Gerente Executivo
Jessica Firmin
Editor de Guias de Viagem
Sara Henrichs
Designer-Chefe
Ben Blossom
Diagramação
Ingvild Sandal e Dan Shrimpton
Ilustrador de Mapa
Russell Bell
Editor de Fotografia
Christopher Lands
Assistente de Fotografia
Jasmine Labeau
Sub-Editor Chefe
Jeremy Case
Sub-Editores
Sue Delaney e Alison Willmott
Sub-Editor Assistente
Milly Nolan
Internos
Jude Davis, Jesse Garrick, Alexandra Hamlyn e Caroline Peers
Editor-Chefe do Grupo Wallpaper*
Jeremy Langmead
Diretor de Criação
Tony Chambers
Diretor Editorial
Fiona Dent

Colaboração
Paul Barnes, Jeroen Bergmans, Alan Fletcher, David McKendrick, Claudia Perin, Meirion Pritchard e Ellie Stathaki

PUBLIFOLHA
Coordenação do Projeto
Assistência Editorial
Camila Saraiva
Produção Gráfica
Soraia Pauli Scarpa
Assistência de Produção Gráfica Mariana Metidieri

Produção Editorial
Tradução
Anna Quirino
Edição
Editora Página Viva
Revisão
Francisco José Couto e Feliche Morabito
Editoração Eletrônica
Editora Página Viva

Foi feito o possível para garantir que as informações deste livro fossem as mais atualizadas disponíveis até o momento da impressão. No entanto, alguns dados como telefones, preços, horários de funcionamento e informações de viagem estão sujeitos a mudanças. Os editores não podem se responsabilizar por qualquer conseqüência do uso deste guia, nem garantir a validade dos sites indicados.

Os leitores interessados em fazer sugestões ou comunicar eventuais correções podem escrever para o endereço abaixo, enviar um fax para (11) 3224-2163 ou um e-mail para atendimento@publifolha.com.br

PUBLIFOLHA
Divisão de Publicações do Grupo Folha
Al. Barão de Limeira, 401, 6º andar,
CEP 01202-900, São Paulo, SP
Tel.: (11) 3224-2186/2187/2197
www.publifolha.com.br

Impresso na China.

Título original / original title:
Wallpaper* City Guide São Paulo
© IPC Media Limited 2007

Wallpaper* (nome e logo) é marca registrada de propriedade da IPC Media Limited utilizada sob licença da Phaidon Press Limited. / The Wallpaper* (name and logo) is a trademark owned by IPC Media Limited and used under licence from Phaidon Press Limited.

Esta edição foi publicada pela Publifolha sob licença da Phaidon Press Limited of Regent's Wharf, All Saints Street, London, N1 9PA, UK. www.phaidon.com
Primeira edição 2008. / This Edition published by Publifolha under licence from Phaidon Press Limited of Regent's Wharf, All Saints Street, London, N1 9PA, UK. www.phaidon.com
First published 2008.

Todos os direitos reservados. Nenhuma parte desta publicação pode ser reproduzida, arquivada ou transmitida de nenhuma forma ou por nenhum meio sem permissão expressa e por escrito da Phaidon Press / All rights reserved. No part of this publication may be reproduced, stored in a retrieval system or transmitted, in any form or by any means, electronic, mechanical, photocopying, recording or otherwise, without the prior permission of Phaidon Press.

Proibida a comercialização fora do território brasileiro.

Dados Internacionais de Catalogação na Publicação (CIP)
(Câmara Brasileira do Livro, SP, Brasil)

São Paulo / [tradução Anna Quirino]. - São Paulo : Publifolha, 2008. -
(Wallpaper* City Guide)

Título original: Wallpaper* City Guide : São Paulo
Vários colaboradores.
ISBN 978-85-7402-874-3
1. São Paulo (SP) - Descrição e viagens - Guias I. Série.

08-00952   CDD-918.1611

Índices para catálogo sistemático:
1. Guias de viagem : São Paulo : Cidade   918.1611
2. São Paulo : Cidade : Guias de viagem   918.1611

FOTÓGRAFOS

Brainpix/Face to Face
Avenida Paulista,
págs. 14-15

Leonardo Finotti
Centro Oscar Niemeyer
págs. 102-103

**Stuart Franklin/
Magnum**
Vista da cidade
na 2ª capa

Michael Frantzis
Casa de Vidro, págs. 72-73

Douglas Friedman
Auditório Ibirapuera,
págs. 78-79

David Hughes
Ópera de Arame, em
Curitiba, págs. 98-99

**Reinhard Kliem/
Shapowalow**
Museu Oscar Niemeyer,
pág. 97

Nelson Kon
Pinacoteca do Estado,
págs. 12-13
Fasano, pág. 17
Museu Brasileiro de
Escultura (MuBE)
págs. 65 e 66-67
Edifício Louveira
págs. 70-71

Praça do Patriarca,
págs. 74-75
Museu de Arte de São
Paulo (Masp)
págs. 76-77
Sesc Pompéia, pág. 89
Haras Polana, págs. 92-93
Parati, pág. 100-101

Isac Luz
Denise Dahdah, pág. 63

Martin Müller
Edifício Bretagne, pág. 68

Tuca Reinés
Edifício Copan, págs. 10-11
Fasano, págs. 18-19
Grand Hyatt, pág. 20
L'Hotel São Paulo, pág. 24
Maksoud Plaza, pág. 25
Hotel Unique, pág. 29
Mercado Municipal, pág. 33
Arábia, pág. 34
Daslu, pág. 35
Instituto Tomie Ohtake,
págs. 36-37
Jun Sakamoto, pág. 38
D-Edge, pág. 39
Kosushi, pág. 41
D.O.M., págs. 42-43
Restaurante Charlô,
págs. 44-45
Rodeio, págs. 46-47
Restaurante Fasano,
págs. 48-48
Spot, págs. 50-51

Forneria San Paolo,
págs. 52-53
Baretto, pág. 55
Shimo, págs. 56-57
Lov.e Club, pág. 58
Disco, págs. 59 e 60-61
Berliner, pág. 81
Galeria Melissa, págs. 82-83
Clube Chocolate, pág. 84
Forum, pág. 85
Fasano Spa, págs. 94-95

SÃO PAULO
ORIENTE-SE NA CIDADE COM ESTE GUIA DE CÓDIGO DE CORES

JARDINS
Lojas de grife e apartamentos caros atraem celebridades brasileiras

CENTRO
A equivalente de Nova York no hemisfério sul é tão agitada e problemática quanto a cidade americana

ITAIM BIBI
Passe horas neste bairro comercial e aproveite, também, suas casas noturnas

VILA MADALENA
Esta região cheia de artistas dispõe de galerias, restaurantes, bares e moda *vintage*

HIGIENÓPOLIS
Há diversos apartamentos modernistas neste bairro de alto poder aquisitivo

PINHEIROS
Saboreie uma deliciosa feijoada ou reúna-se com amigos neste bairro multicultural

Para uma descrição mais detalhada de cada bairro, veja a Introdução. As atrações estão sublinhadas com linhas coloridas, segundo o bairro em que se localizam.